Comme deux gouttes d'eau

Marc Levy

Florent Bégu

hachette
JEUNESSE

Saperlipopin et Saperlipopette étaient frères jumeaux.
C'était incroyable ce qu'ils se ressemblaient.
Pourtant un détail les distinguait : l'un avait les yeux bleus
et l'autre les yeux marron. Et c'est peut-être à cause de cela
qu'ils rêvaient de vivre dans un monde où tout irait par paires.

Cherche-moi dans chaque page !

Un jour, alors qu'ils passaient l'après-midi à la plage,
ils prirent la mer à bord de deux bateaux sur lesquels
ils avaient embarqué à la hâte deux vaches pour avoir du lait le matin,
deux chevaux pour aller se promener,
deux perroquets qui leur tiendraient compagnie
et aussi de quoi construire deux cabanes.

Ils arrivèrent sur une île et commencèrent par entasser du sable.
Chacun avec une pelle pour dresser sa colline.
Et quand elles furent de la même hauteur,
ils s'endormirent car ils étaient très fatigués.

Puis, ils construisirent leurs cabanes et les peignirent en bleu.
Quand elles furent terminées, ils les regardèrent et furent ravis
du travail accompli car elles paraissaient identiques.

Ils étaient vraiment heureux que tout semble enfin pareil.
Et pour parfaire le tout, ils cachèrent leurs yeux
sous des lunettes de soleil.

Mais soudain, Saperlipopin eut l'impression
que sa dune était un peu moins haute que celle
de son frère et cela le mit de très mauvaise humeur.
Il prit sa pelle et passa la journée à la surélever.

De son côté, Saperlipopette trouva que la cabane
de son frère était un peu plus bleue que la sienne.
Il courut chercher un pot de peinture.
Et il passa sa journée à la repeindre.

À l'heure du goûter, ils allèrent demander aux vaches
un peu de lait et, en les regardant de près,
ils s'aperçurent qu'elles n'étaient pas tout à fait pareilles.

L'une avait deux taches brunes sur le côté,
et l'autre deux taches noires.
Comment cela avait-il pu leur échapper ?

Fort contrariés, ils décidèrent d'aller se promener.

Mais en montant sur leurs chevaux, patatras, ce fut une catastrophe.

Leurs crinières n'étaient pas exactement de la même longueur.

Les perroquets vinrent se poser à côté d'eux.
Saperlipopin et Saperlipopette les observèrent attentivement.
« Sapristouille ! » s'écrièrent-ils en chœur.
Les oiseaux avaient des becs légèrement différents.

Très déçus, les jumeaux rentrèrent se coucher chez eux.
Mais au petit matin, le grondement de l'orage les tira du lit.
Saperlipopin et Saperlipopette regardèrent la pluie tomber par la fenêtre.

Soudain, deux gouttes d'eau vinrent se poser sur la vitre.
Saperlipopin et Saperlipopette les étudièrent de près,
de très près cette fois. Et les deux frères furent plus heureux
que jamais. Car elles étaient absolument identiques.

« Vous êtes parfaites ! s'exclama Saperlipopin.

– Vraiment magnifiques ! ajouta Saperlipopette.

– C'est très gentil mais pourquoi ? s'étonnèrent les gouttes d'eau.

– Parce que vous vous ressemblez comme…

– Comme quoi ? » demandèrent-elles.

Les deux frères n'avaient pas encore réussi à trouver deux choses
qui se ressemblent autant. Ni leurs dunes, ni leurs cabanes,
ni leurs chevaux, ni leurs vaches ou leurs oiseaux n'étaient identiques.
Alors ils s'exclamèrent en chœur :
« Comme deux gouttes d'eau !
– Oui, ajouta Saperlipopin, vous vous ressemblez vraiment
comme deux gouttes d'eau ».

Les gouttes d'eau se mirent à sourire.
Elles ne voulaient surtout pas les contrarier,
ils avaient l'air si heureux.
Oui, en apparence elles étaient identiques,
mais chacune d'elles était unique.

Sur l'île des frères jumeaux, comme sur la Terre,
rien n'est jamais exactement pareil,
et c'est toute cette diversité qui rend le monde si beau.

Solutions

Loi n° 49.956 du 16 juillet 1949 sur les publications destinées à la jeunesse.
© 2017, Hachette Livre pour les illustrations © 2017, Marc Levy pour les textes
Publié par The Marketing Store Worldwide sous licence Hachette Livre. – Les marques suivantes
sont la propriété exclusive de McDonald's Corporation et affiliées : Happy Meal, logo Golden Arches
Édition exclusive The Marketing Store Worldwide pour McDonald's – ISBN : 979-10-94132-38-8
N° d'éditeur : 979-10-94132 – Imprimé en Europe par TBB, a. s. – Havi Global Solutions
Europe GmbH, 47 059 Duisburg, Allemagne – Dépôt légal : juin 2017 – Dès 3 ans – Lot : 129071/51